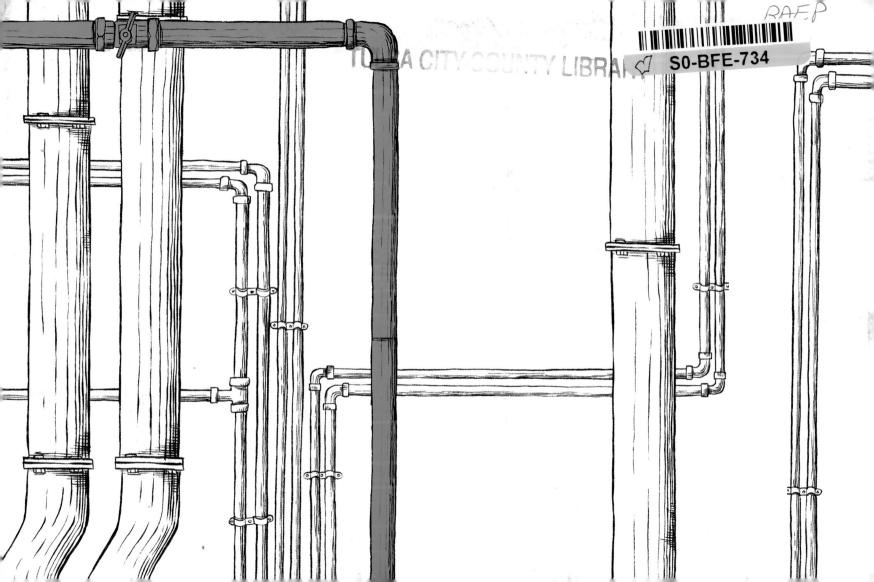

UN PERRO EN CASA

Daniel Nesquens | Ramón París

EKARÉ

A la vuelta de una esquina,
donde el viento apenas
se sentía, se refugiaba
un perro. Cuando papá
pasó justo a su lado,
el perro ladró. Débilmente.
Débilmen…

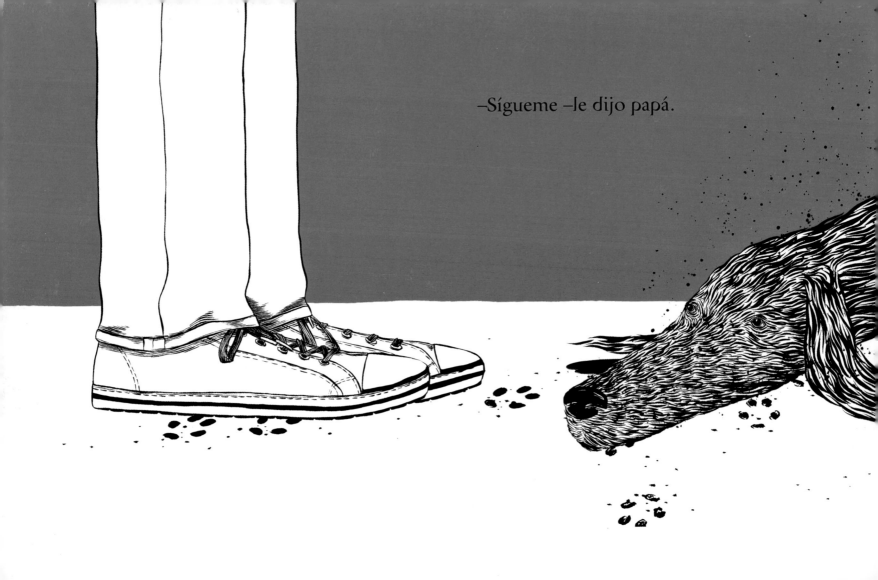

—Sígueme —le dijo papá.

Y el perro lo siguió. A medio metro.
De vez en cuando el perro se paraba y miraba hacia atrás.

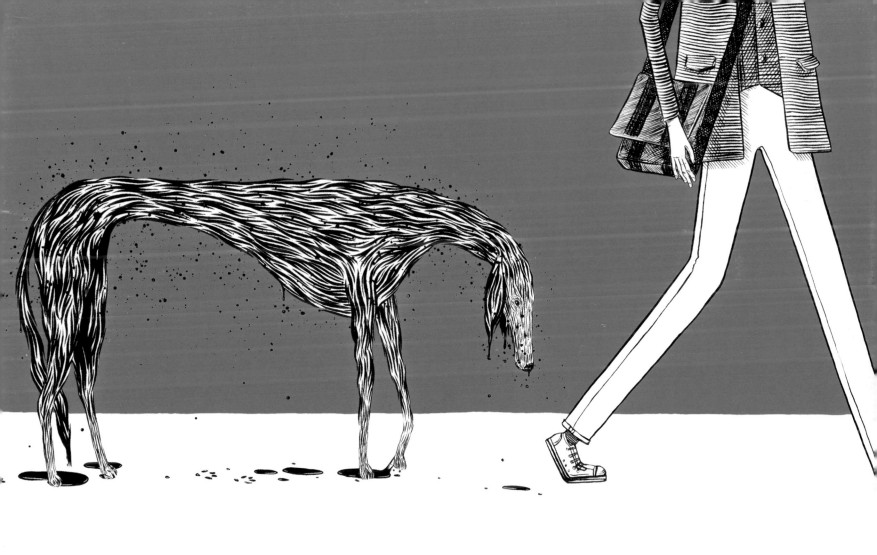

–Sorpresa –dijo papá al entrar en casa.
Todos asomamos la cabeza y vimos
algo parecido a un perro. Tenía de todo:
cuatro patas, dos orejas, un rabo... era un perro.

—¿De dónde lo has sacado?
—preguntó mamá.
—Oh, sólo es un perro —dijo
mi hermana con total acierto.
—¿Cómo se llama? —quise
saber yo.

El perro no tenía nombre.
Tenía hambre.
Quién sabe cuántos días
llevaba sin comer.
Olió dónde estaba la nevera
y se le hizo la boca agua.
—Un momento, un momento.
Lo primero es darte un baño.
A saber dónde habrás estado
—dijo mamá.

No fue necesario desnudar al perro. Me puse un guante de crin,
tomé un bote de champú de extractos de frutas y comencé el trabajo,
como cuando ayudo a lavar la furgoneta.

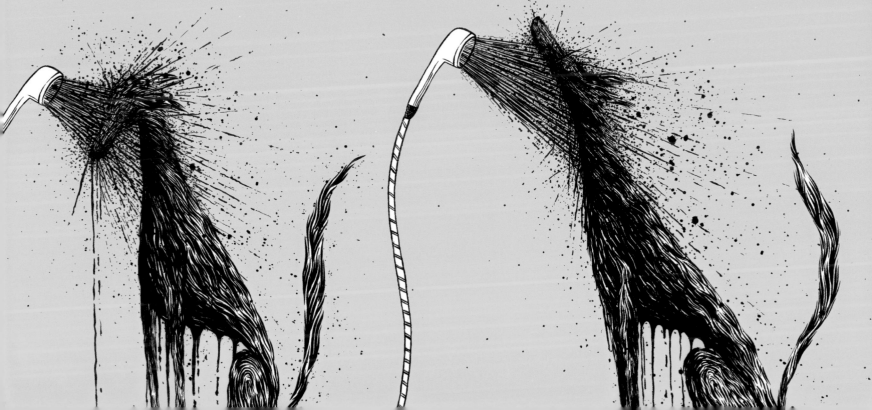

Frotaba y frotaba. El agua
se puso negra. Tinta.
Seguí frotando.

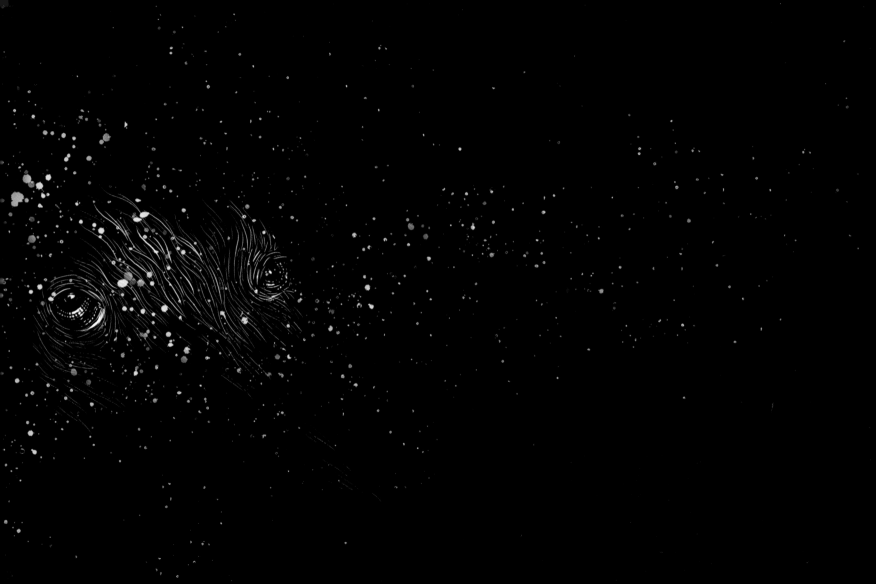

Cuando quité el tapón me pareció escuchar un ladrido.

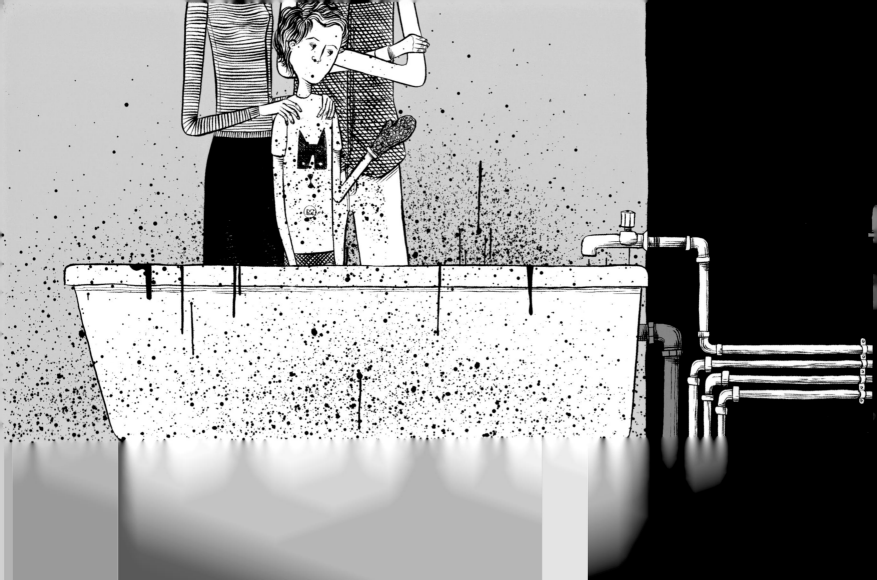

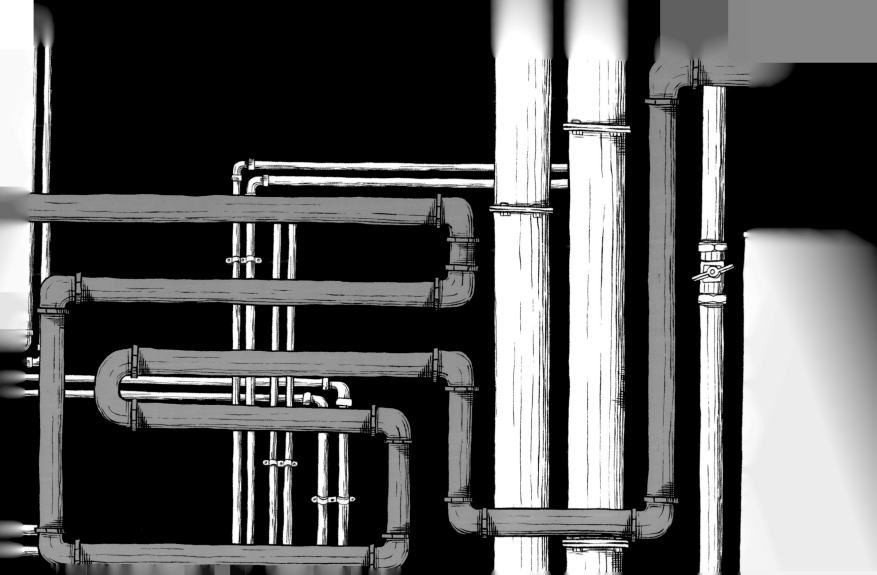

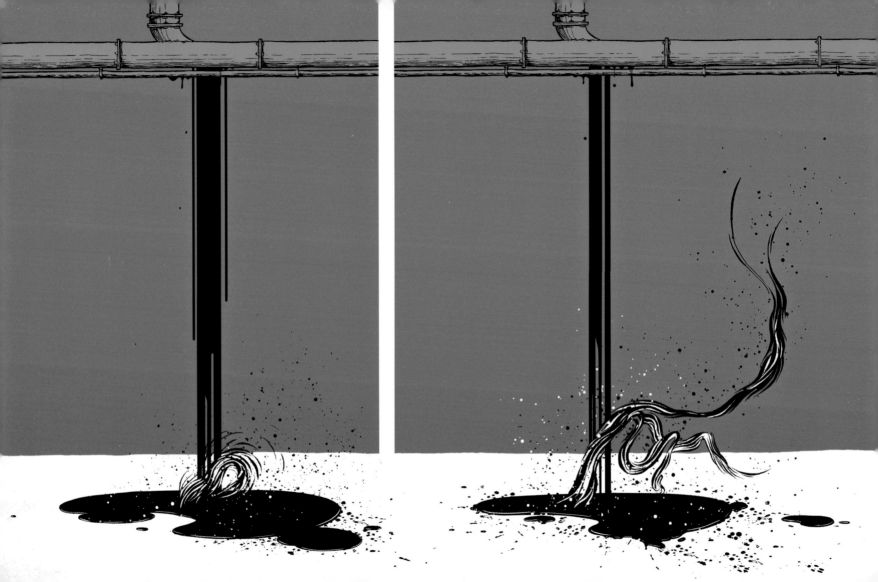

Edición a cargo de Brenda Bellorín
Dirección de arte y diseño: Irene Savino

© 2012 Daniel Nesquens, texto
© 2012 Ramón París, ilustraciones
© 2012 Ediciones Ekaré

Av. Luis Roche, Edif. Banco del Libro, Altamira Sur,
Caracas 1060, Venezuela
C/ Sant Agustí 6, bajos, 08012 Barcelona, España

www.ekare.com

ISBN 978-84-939912-2-7
Depósito Legal B.21127.2012

Impreso en China por South China Printing Co. Ltd.

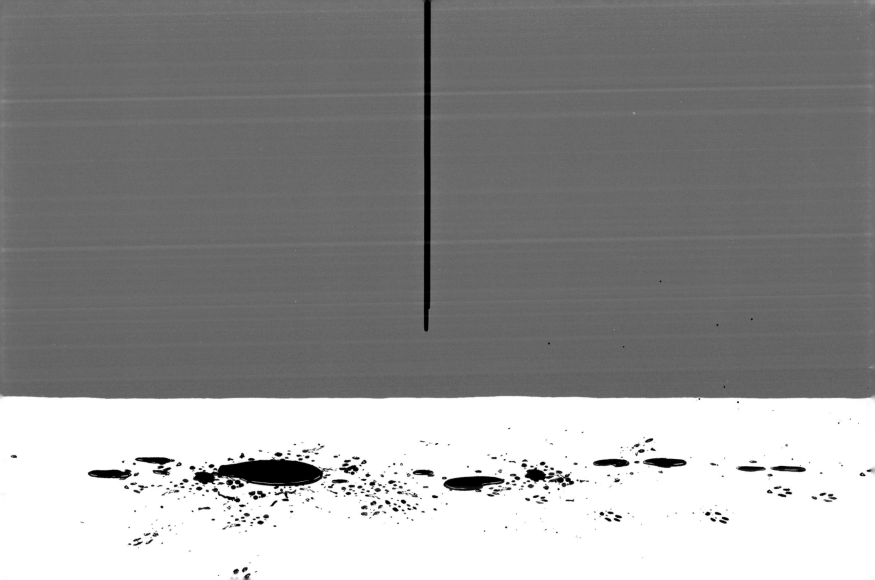

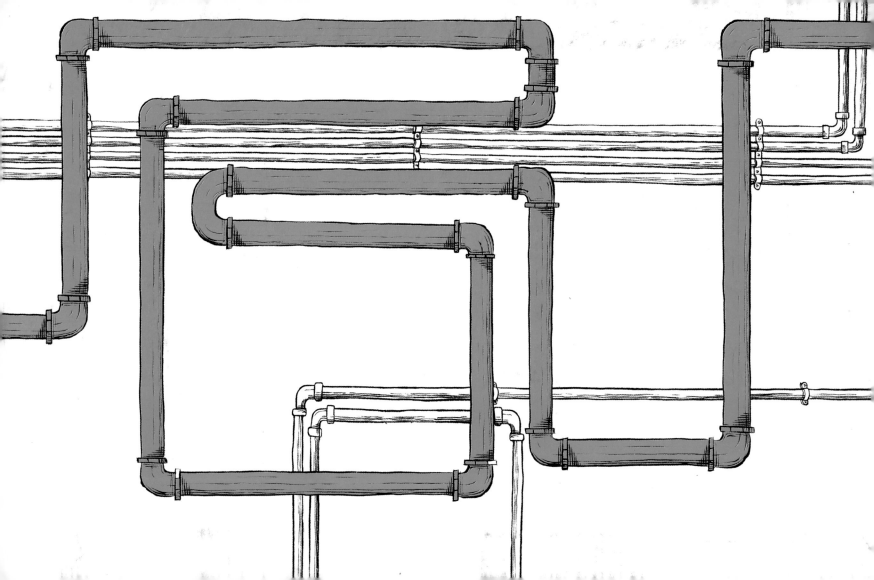